JN236742

「ストウブ」で作る
フレンチの基本
MENU BOOK

サルボ恭子

Prologue
　　はじめに

　　鍋の中はなんとドラマティックなのだろう。
　　時間とともに変化する素材の色、形、香り。
　　のぞき込んでいると、その世界に圧倒されることがある。
　　はっとさせられる瞬間がある。
　　ずっと見ていたい衝動が起きる。

　　いつからだろう。私がこの道を歩み出したのは。
　　うっすらとした思いがあり、いろいろな出会いがあって、
　　それが、いつのまにかつながって、確信となった。
　　肩の力を抜いて素材と向き合いたい。
　　最高の瞬間を見逃さずに、そっと手を添え、
　　食べ手へつなぐ一助でありたい。

　　「フランス料理の基本」には人それぞれの心得があり、
　　簡単には語り尽くせない。
　　私の選んだ、ほんの少しの品々をつなぎ合わせて、
　　ご自分だけの "menu book" に仕立て、
　　育てていただければと思う。

　　　　　　　　　　　　　　　　　Kyoko SALBOT

MENU

6 Bœuf bourguignon
牛肉の赤ワイン煮込み
　レバーのステーキ
　卵のココットオーブン焼き

10 Morue braisée aux légumes
干しだらとじゃがいも、グリンピースの煮込み
　干しだらとグリンピースのクロケット
　干しだらとじゃがいものブランダード

14 Pâté de campagne
パテ・ド・カンパーニュ

18 Sauces et fonds
フレンチソース&だし
　フュメ・ド・ポアソン／ソース・ベアルネーズ
　フォン・ド・ヴォー／ソース・ベシャメル

22 Jus de tomates transparent
トマトの透明スープ
　ソース・トマト

24 Poulet rôti à la moutarde
丸鶏のロースト
　オニオングラタンスープ
　フォン・ド・ヴォライユの煮こごりとポアローの蒸し煮
　モリーユとマッシュルームのクリーム煮

28 Saumon à la vapeur
サーモンのフヌイユ蒸し焼き
　フヌイユとズッキーニのサラダ

30 Filet de porc braisé aux petits oignons et carottes
豚ヒレ肉のポットロースト

32 Compote
コンポート
　いちじくのコンポート／オレンジのスパイシーコンポート
　レモンのコンポート／赤いフルーツのコンポート／洋梨のコンポート

36 **Légumes**
　　野菜の煮込み
　　　　にんじんのピューレ／じゃがいものピューレ／玉ねぎのピューレ
　　　　紫キャベツの蒸し煮／ポアローの蒸し煮／アンディーブの煮込み
　　　　小玉ねぎとレーズンの煮込み／ピペラドソース／きのこのデュクセル

40 **Tajine d'agneau et pruneaux**
　　仔羊とプルーンのタジン

42 **Confit de canard**
　　鴨もも肉のコンフィ
　　　　じゃがいものソテーといんげんのサラダ
　　　　鴨のリエット

46 **Soupe de poissons**
　　スープ・ド・ポアソン

48 **Cassoulet**
　　塩豚のカスレ

50 **Maquereau fumé et apéritifs variés**
　　さばのスモークとアペリティフいろいろ
　　　　ふかしじゃがいもとモンドールチーズ
　　　　アンディーブとハムのグラタン

56 **Carré d'agneau rôti aux herbes**
　　骨付き仔羊のハーブパン粉焼き

58 **Crème pâtissière**
　　クレーム・パティシエール
　　　　グラン・マルニエのスフレ

60 **Tarte Tatin**
　　タルト・タタン

　　Column
　　17　パンのはなし
　　35　チーズのはなし
　　54　お酒のはなし
　　62　ストウブの魅力

この本の使い方…料理は原則としてストウブのピコ・ココットを使い、サイズと形を材料に明記しています。
●小さじ1は5ml、大さじ1は15ml、1カップは200mlです。　●オーブンの加熱時間は、機種によって異なります。様子を見て調節してください。

Bœuf Bourguignon
ブッフ・ブルギニョン
牛肉の赤ワイン煮込み

ブルゴーニュ地方の郷土料理。
ブルゴーニュ料理はブルゴーニュワインで煮込む。
ボトルに残ったワイン片手に、料理するのも悪くない。

レバーのステーキ

卵のココットオーブン焼き

牛肉の赤ワイン煮込み

材料（4〜5人分）［27cm・オーバル］
牛肩ロース肉　1kg
玉ねぎ（薄切り）　1¼個
にんじん（薄切り）　大1本
セロリ（薄切り）　1本
セロリの葉　2本
にんにく（芽を取って薄切り）　大1片
赤ワイン　550㎖
フォン・ド・ヴォー〈P.21参照〉　500㎖
ローリエ　1枚
塩　こしょう　薄力粉　サラダ油

Bœuf Bourguignon

作り方
1. 牛肉をかたまりのままボウルに入れて玉ねぎ、にんじん、セロリ、セロリの葉とローリエをのせ、赤ワインを注ぎ、一晩冷蔵庫でマリネする。
2. 1から肉を取り出して水けをきり、塩小さじ3、こしょう適宜をふってなじませる。鍋をよく熱し、サラダ油少々を入れて、強火で肉の表面をこんがりと焼く。
3. 肉を鍋から取り出して火を弱め、玉ねぎ、にんじん、セロリ、にんにくを入れる。鍋についた肉のうまみを野菜に移すようによく炒める。
野菜がしんなりしたら薄力粉大さじ2½を全体にふり、1〜2分炒めて粉けをとばす。
4. 肉を鍋に戻し入れてマリネ液を加え、煮立ったら、アクを取る。
フォン・ド・ヴォーを加えて、再び煮立ったらアクを取って弱火にし、ふたをしてコトコトと静かに煮立っている状態を保ちながら90分ほど煮る。
5. 肉に金串を刺してスッと通ったら、肉を取り出してソースをこす。肉とソースを鍋に戻して火にかけ、塩、こしょうで味をととのえる。
6. 食べやすい大きさに切り分けて器に盛り、ソースを回しかける。
好みでじゃがいものピューレ〈P.38参照〉を添える。

ワインは肉が完全に浸るまでたっぷりと注ぐ。

赤ワイン煮込みのソースで、もう2品

レバーのステーキ

材料（1人分）
豚レバー　1枚（200g）
まいたけ（大きくほぐす）　60g
生しいたけ（石づきを取り4等分に裂く）　2枚
赤ワイン煮込みのソース　75㎖
エクストラバージンオリーブ油　大さじ1
塩　黒こしょう　薄力粉

作り方
1. 豚レバーに塩小さじ½と黒こしょう適宜をたっぷりまぶしつけて、
薄力粉適宜を薄くつける。
2. 鍋を熱し、エクストラバージンオリーブ油を入れて強火でレバーを焼く。
きつね色に焼き色がついたら、返して火を弱め、2～3分ふたをして蒸し焼きにする。
3. レバーを取り出し、同じ鍋にまいたけとしいたけを入れて炒める。
塩と黒こしょうで味をととのえる。
あらかた火が通ったら赤ワイン煮込みのソースを加えてきのこにからめる。
4. レバー、きのこを器に盛り、ソースを回しかけ、黒こしょうをひく。

卵のココットオーブン焼き

材料（2人分）
卵　2個
赤ワイン煮込みのソース　400㎖
ベーコン（かたまり肉）（5㎜幅の薄切り）　70g
イタリアンパセリ（みじん切り）　適宜
食パン　2枚
バター　塩　黒こしょう

作り方
1. ココットに赤ワイン煮込みのソースを半量ずつ入れる。
2. 鍋を熱してバター大さじ½を溶かし、ベーコンを入れてこんがり焼き、
ココットに均等に入れる。
3. ココットの中央に卵を1つずつ割り入れて、230℃に予熱したオーブンに入れる。
卵が半熟の状態で取り出して塩、黒こしょう各適宜をふる。
4. 食パンは耳を落とし、トースターで温めてイタリアンパセリをつけ、3に添える。

モリュ・ブレゼ・オー・レギューム
Morue Braisée Aux Légumes
干しだらとじゃがいも、グリンピースの煮込み

鍋中から聞こえてくる音を頼りに調理する。
ふたを開けた時に立ちのぼる、たらとバターの香りが何よりの楽しみ。

干しだらとグリンピースの
クロケット

干しだらとじゃがいもの
ブランダード

干しだらとじゃがいも、グリンピースの煮込み

材料（4人分）［24cm・ラウンド］
干しだら　800g
じゃがいも（メークイーン）（1cm幅の薄切り）9個
グリンピース　500g
にんにく（芽を取って薄切り）1片
白ワイン（辛口）100㎖
バター　黒こしょう

作り方
1. 干しだらはよく洗い、一晩水につけて塩分を抜いておく。水けをきり、皮と骨を取り除いて3〜4cm幅に切る。
2. じゃがいもは水に放し、グリンピースはさやから出す。
3. 鍋にバター30gをちぎり入れ、水けをきったじゃがいもの1/3量を並べる。上ににんにく、グリンピース、たら、じゃがいも、にんにくと重ね、黒こしょう適宜をふる。さらにグリンピース、たら、じゃがいもと重ね、バター30gをちぎり入れ、再度こしょう適宜をふる。
4. ワインを注ぎ入れ、ふたをして強火にかける。
5. 煮立ったら火を弱め、15分間蒸し煮にする。ふたを取り、じゃがいもがやわらかくなるまで煮る。

干しだらの塩抜きは、食べてみて塩けが少し残るくらいまで。そうすることで、野菜に充分にうまみが行き渡る。

煮込む途中でふたをあけたり、かき混ぜたりしないので、材料は1/3量ずつに分け、層にして重ねて入れること。

Morue Braisée Aux Légumes

煮込んだたらと野菜で、もう2品

干しだらとグリンピースのクロケット

材料（4〜6個分）
煮込んだたら　40g
煮込んだグリンピース　70g
溶き卵　1個分
シャプリュール（細かいパン粉）　½カップ
薄力粉　揚げ油

作り方
1. たらとグリンピースは汁けをきり、フォークの背でつぶす。
2. 1を6等分し、手で空気を抜きながら丸くまとめる。
3. 2に薄力粉適宜、溶き卵、シャプリュールをつけ、190℃の揚げ油で色づくまで揚げる。
4. 器に盛り、好みでレモンとイタリアンパセリを添える。

たらとグリンピースは、ひとまとまりになる程度までつぶす。

シャプリュールは、まんべんなくしっかりつける。

干しだらとじゃがいものブランダード

材料（作りやすい分量）
煮込んだたら　100g
煮込んだじゃがいも　35g
牛乳　50㎖
煮汁　大さじ1
バゲットまたはパン・ド・カンパーニュ　適宜

作り方
1. たら、じゃがいも、牛乳、煮汁を鍋に入れて弱火にかけ、へらでつぶしながら混ぜ合わせる。
2. 全体がまんべんなく混ざったら火を止め、バゲットにたっぷり塗ってトースターで焼き色がつく程度に焼く。好みでラディッシュを添える。

じゃがいもは食感が残る程度、たらはフレーク状になるまでが目安。

Pâté De Campagne
パテ・ド・カンパーニュ

難しく考えず、肉の持つうまみと熟成を感じて。
「田舎風のパテ」なのだから。

パテ・ド・カンパーニュ

材料（作りやすい分量）［23cm・オーバル］
豚バラ肉　600g
牛もも肉　200g
鶏レバー　150g
網脂　1枚
エシャロット（みじん切り）　1個
セロリ（葉ごと）（みじん切り）　1本
パセリ（みじん切り）　3本
ローリエ　3〜4枚
卵　1個
生クリーム　100㎖
ポルト酒　大さじ3
パン・ド・カンパーニュ　適宜
塩　粗びき黒こしょう

Pâté De Campagne

作り方
1. 鶏レバーは筋や血管をきれいにして、ポルト酒（分量外）大さじ1でマリネし、一晩おく。
2. 豚バラ肉と牛もも肉はフードプロセッサーに入れて粗くひく。
3. ボウルに2を入れ、野菜、卵、生クリーム、ポルト酒、塩小さじ3½、黒こしょう小さじ1を加えて混ぜる。
4. 鍋に網脂を広げて3の半量を詰め、その上にぶつ切りにした1を並べ、さらに3の残りを詰める。全体を網脂で包んでローリエをのせ、アルミホイルでおおう。
5. 180℃に予熱したオーブンの天板に湯を張り、約90分焼く。中心に金串を刺して赤い肉汁が出なければ焼き上がり。
6. 鍋を冷まして表面にラップをかけ、重しをして冷蔵庫で一晩以上おく。
7. 周りに固まった脂を取り、厚めに切って焼いたパン・ド・カンパーニュや好みでピクルス、小玉ねぎとレーズンの煮込み〈P.39参照〉とともに器に盛り、黒こしょうをふる。

肉は細かくしすぎず形が残るくらいに回す。練りすぎないように混ぜる。

材料を詰めたら、網脂の端を鍋の中央にまとめるようにして包む。

小石をビニール袋に詰めたものや、さらに重さのあるふたものせるとよい。

パンのはなし

何を食べるにも、パンはいつも傍らに。
料理とのバランスや味の組み合わせを思い描いて、今日のパンを選ぶ。

Pain de campagne

Baguette

バゲット
毎日の食事に。フランス人は、食事前にパン屋さんに焼きたてを買いに行く。そのシンプルさゆえに、粉の香り、気泡の入り具合、クラストをかみしめたい。

パン・ド・カンパーニュ
田舎パン。小麦とライ麦を使用し、パン種であるle vain（ル・ヴァン）により風味が変わる。酸味を帯びて香ばしく、日持ちがいい。チーズ、パテとの相性は抜群。

Brioche

Pain aux noix et raisins

パン・オ・ノア・エ・レザン
くるみとレーズンの入ったライ麦と全粒粉を使用したパン。薄くスライスしてトーストし、チーズに添える。ごま、ドライフルーツ入りなど種類も豊富。

ブリオッシュ
バターと卵がたっぷり入ったやわらかいパン。クレーム・パティシエールを塗ったり、フレンチトーストに。フォアグラのテリーヌには欠かせないもの。

Sauces Et Fonds
ソース・エ・フォン

フレンチソース&だし

ソースとフォンは、フランス料理の基礎ともいえる大切な存在。
素材の持ち味を巧みに引き出す「味の要」を知ることで、
料理の幅がさらに広がっていく。

Fumet De Poisson　　フュメ・ド・ポアソン

Sauce Béarnaise　　ソース・ベアルネーズ

Fond De Veau　　フォン・ド・ヴォー

Sauce Béchamel　　ソース・ベシャメル

フュメ・ド・ポアソン

煮込み時間が短く、スープやブイヤベースのベースになる魚のだし。

材料（作りやすい分量）
鯛・すずきなどのあら　2尾分（400g）
玉ねぎ（薄切り）　1個
にんじん（皮ごと薄切り）　½本
セロリ（薄切り）　½本
ブーケガルニ
　　ポアロー（リーキ）　2枚／セロリ（葉の部分）　1〜2枚
　　パセリ　2本／タイム　2本／ローリエ　1枚
白ワイン　200ml
塩　粒こしょう（黒）（たたきつぶしたもの）

簡単に作れるブーケガルニは、おいしいだしに欠かせない香味野菜。

作り方
1. ブーケガルニを作る。ポアロー1枚の上にセロリ、パセリ、タイム、ローリエをのせ、半分に折り曲げて、もう1枚のポアローをかぶせ、たこ糸で縛る。
2. 魚のあらをよく洗い、鍋に1とそのほかの材料、水1.5ℓとともに入れて強火にかけ、塩小さじ½、粒こしょう小さじ¼を加え、煮立ったらアクを取り弱火にして30分ほど煮てこす。

ソース・ベアルネーズ

澄んだバターの香りにハーブが語る。

材料（作りやすい分量）
卵黄　2個分
エシャロット（薄切り）　10g
ディル（タラゴンやチャイブでもよい）
　　　（みじん切り）　大さじ1
バター（食塩不使用）　150g
白ワインビネガー　50ml
塩　白こしょう

溶かしたバターの底にたまる白い乳清は加えないこと。

作り方
1. 鍋にバターを入れて弱火にかけ、溶かして澄ましバターを作る。
2. 別の鍋にエシャロット、ワインビネガーを入れて弱火にかけ、水けがほとんどなくなるまで煮詰める。
3. 2に卵黄を入れてよく混ぜ、1の澄ましバターを少しずつ加えながら泡立て器で絶えず混ぜ、白くもったりとしたら、塩、こしょうで味をととのえ、ディルを加える。バターが固まらないように、器に盛るまで暖かいところに置いておく。

フォン・ド・ヴォー

さまざまな料理のベースになるフォン。さらに煮詰めれば、極上のドゥミ・グラスに。

材料（作りやすい分量）
牛筋肉　400g
仔牛骨　500g
玉ねぎ（皮ごと横半分に切る）　1個
にんじん　1本
セロリ　1本
にんにく　1片
ブーケガルニ〈フュメ・ド・ポアソンP.20参照〉　1束
塩　粒こしょう（黒）（たたきつぶしたもの）　サラダ油

玉ねぎを焼くことでソースに深みを出す。皮はソースの色に。

作り方
1. ブーケガルニを作る。牛肉と牛骨は洗って水けをきる。
2. 鍋にサラダ油少々を熱し、肉、骨を入れて強火で焼き、全体に焼き色がついたらいったん取り出し、玉ねぎを切り口を下にして入れて焼く。
3. 水3ℓとほかの材料を加えて強火にかけ、塩小さじ½、粒こしょう小さじ⅓を加え、煮立ったら弱火にして時々アクを取りながら4時間ほど煮てこす。
4. 冷めたら表面の白い脂の層を取り除く。

ソース・ベシャメル

粉をしっかりと炒めるのがポイント。失敗を恐れずに作ること。

材料（作りやすい分量）
牛乳　250㎖
バター（食塩不使用）　20g
ローリエ　適宜
ナツメグ　適宜
薄力粉　塩　白こしょう

焦がさないように火加減に注意しながら、粉っぽさが完全にとぶまで絶えず混ぜる。

作り方
1. 鍋にバターを入れて弱火にかけ、溶けたら薄力粉20gを加えてよく炒める。
2. 1がほんのりクリーム色になったら、ローリエと牛乳の⅓量を注いで混ぜ、むらなく混ざったら残りを加えてよく混ぜる。
3. 気泡が上がってきたら火を止め、塩、こしょう各少々を加え、おろしたナツメグを加える。

ジュ・ド・トマト・トランスパロン
Jus De Tomates Transparent
トマトの透明スープ

フランスのとあるレストランで、このスープと出合い、
まるで極上の白ワインのような輝きと香り、
なめらかな口当たりに感動を覚えた。

トマトの透明スープ

材料（4人分）［24cm・ラウンド］
トマト（完熟したもの）　9個
塩

作り方
1. トマトは横半分に切ってへたと種を取り除く。
2. 鍋に塩小さじ1/3をふり、トマトの切り口を下にして底一面に並べる。
残りのトマトを上に重ねて並べ、塩小さじ1/3をまんべんなくふる。
3. ふたをして弱火にかける。透明な果汁が出てきたらそっとレードルですくい、
ボウルにストレーナー、ペーパータオルを重ねてこす。
4. 3を繰り返し、果汁が出にくくなったら、トマトをつぶさないように
ペーパータオルの上に移し自然に果汁が落ちるようにしてこし、塩で味をととのえる。
5. 冷蔵庫でよく冷やし、器に盛る。好みでフルール・ド・セル（ブルターニュ地方の天日塩）をふる。

時々ふたを取り、焦げつかないように火加減に注意する。

残ったトマトで作る
ソース・トマト

材料（作りやすい分量）
トマト（果汁をこして皮を取り除いたもの）　9個
にんにく（芽を取り、縦半分に切ってたたきつぶす）　1片
塩　こしょう　オリーブ油

作り方
1. 鍋ににんにくとオリーブ油大さじ1½を入れて弱火にかけ、
にんにくから香りが立ったらトマトを入れてほぐすように混ぜる。
2. トマトとオリーブ油がなじんだら火を止め、
塩小さじ2、こしょう適宜を加えて混ぜる。

Poulet Rôti à La Moutarde

プーレ ロティ・ア・ラ・ムタード

丸鶏のロースト

日曜日、教会から帰ってのお昼ごはんは、今も昔もプーレ・ロティ。
今日はマスタードをきかせて、じゃがいもとともに香ばしく焼き上げよう。

オニオングラタンスープ

フォン・ド・ヴォライユの煮こごりとポアローの蒸し煮

モリーユとマッシュルームのクリーム煮

丸鶏のロースト

材料（作りやすい分量）［27cm・オーバル］
丸鶏　1羽（1.3kg）
じゃがいも（メークイーン）（皮ごと4等分の輪切り）　4個
にんにく（芽を取って薄切り）　1片
ローズマリー　5本／フレンチマスタード　大さじ3
塩　こしょう　サラダ油

Poulet Rôti à La Moutarde

作り方
1. 鶏はおなかの中の血や水けをペーパータオルでふき取り、にんにくとローズマリーを詰める。
2. フレンチマスタードに塩小さじ3、こしょう適宜を混ぜる。
3. 足先と手羽をたこ糸で縛り、2を表面にまんべんなく塗る。
4. 鍋にじゃがいもを入れ塩小さじ½をふり、サラダ油適宜を回しかける。中央に鶏を入れ、180℃に予熱したオーブンで約40分焼く。

鶏は、両ももを縛り、手羽は胴体に密着させて縛る。

手羽先、むね肉、もも肉に切り分ける。貴重なソリレスも忘れずに。

残った丸鶏のがらで、もう3品

オニオングラタンスープ

材料（作りやすい分量）
フォン・ド・ヴォライユ
　丸鶏のローストのがら　1羽分／玉ねぎ（薄切り）　¼個
　にんじん（厚めに輪切り）　½本／セロリ（葉の部分）　5枚
　ブーケガルニ〈P.20参照〉　1束／塩　小さじ2／粗びき黒こしょう　少々
玉ねぎのピューレ〈P.38参照〉　40g／ローリエ　1枚
グリュイエールチーズ　適宜／バゲット（薄切り）　8枚／塩／こしょう

作り方
1. フォン・ド・ヴォライユを作る。鍋に鶏がらを入れ、かぶるくらいの水を注ぎ強火にかける。煮立ったらアクを取って火を弱め、玉ねぎ、にんじん、セロリ、ブーケガルニを加えて塩、粗びきこしょうをして1時間ほど煮てこす。
2. 鍋に玉ねぎのピューレを入れ1を600㎖注ぎ、ローリエを加えて火にかける。塩、こしょうで味をととのえ、器に入れる。
3. 温めたバゲットを2に浮かべ、すり下ろしたグリュイエールチーズをたっぷりかけて、トースターで、ぐつぐつと煮立ち、焼き色がつくまで焼く。

フォン・ド・ヴォライユの煮こごりと
ポアローの蒸し煮

材料(作りやすい分量)
フォン・ド・ヴォライユ〈オニオングラタンスープP.26参照〉 250㎖
レンズ豆(乾燥) 大さじ1
タラゴン(若葉) 3枚
ポアローの蒸し煮〈P.38参照〉 適宜
塩 こしょう

作り方
1. レンズ豆は洗って鍋に入れ、かぶるくらいの水を注ぎ、やわらかくなるまでゆでる。
2. 別の鍋にフォン・ド・ヴォライユを入れ、がらについた肉適宜、こしたにんじん適宜、レンズ豆、タラゴンを加えて火にかける。塩、こしょうで味をととのえ、器に盛り冷やし固める。ポアローの蒸し煮を添える。

モリーユとマッシュルームのクリーム煮

材料(作りやすい分量)
フォン・ド・ヴォライユ〈オニオングラタンスープP.26参照〉 250㎖
モリーユ 8個
マッシュルーム(石づきを取り4等分に切る) 4個(70g)
卵黄 1個分／生クリーム 100㎖
インディカ米 100g／バター／塩／こしょう

作り方
1. ボウルにモリーユと水100㎖を入れてもどす。
2. 鍋にバター5gを入れて熱し、マッシュルームを炒める。
ひと呼吸おいて、フォン・ド・ヴォライユ、モリーユも水ごと加える。
3. 別の鍋に湯を沸かしてインディカ米をやわらかくなるまでゆで、
ざるに上げて水けをきり保温する。
4. 別のボウルに卵黄と生クリームを入れて混ぜ、2へ少しずつ加えて
混ぜながら弱火で2〜3分煮る。塩小さじ1、こしょう適宜で調味する。
5. 器に盛り、インディカ米を添える。好みでみじん切りにしたイタリアンパセリを散らす。

モリーユは、生クリームと相性が良い。芳醇な香りがいっそう引き立つ。

米は粘りが少ないものが合う。

ソーモン・ア・ラ・バプール
Saumon à La Vapeur
サーモンのフヌイユ蒸し焼き

フヌイユは魚料理に甘く、さわやかな香りを与えてくれる。
時には、そのたっぷりとした葉に活躍してもらおう。

サーモンのフヌイユ蒸し焼き

材料（4人分）［27cm・オーバル］
ノルウェーサーモン　650g
フヌイユの茎と葉（乱切り）　1株分
エシャロット（薄切り）　1個
レモン（輪切り）　1/4個
ソース・ベアルネーズ〈P.20参照〉　適宜
ノイリー・プラ（ドライベルモット酒）　100mℓ
塩　こしょう

作り方
1. サーモンは骨を取り除き、塩適宜をふり10分おく。
2. 1の水けをふき取り、塩小さじ1/2、こしょう適宜をふる。鍋にフヌイユの半量を敷き詰め、サーモンを入れ、さらにエシャロットをのせて残りのフヌイユでおおい、ノイリー・プラを回しかけて火にかけ、ふたをする。
3. 煮立ったら弱火にし、約20分蒸し煮にする。
4. サーモンを取り出して皮をはぎ、4等分に切って器に盛り、レモンとソース・ベアルネーズを添える。

フヌイユはセリ科の植物で、和名のういきょう、または英名のフェンネルとしても知られる。

食前酒としてだけでなく、フランス料理において隠し味に使われることの多いノイリー・プラ。白ワインをベースに、数十種類のハーブとスパイスを組み合わせて造られる。

フヌイユとズッキーニのサラダ

材料（4人分）
フヌイユの株（ごく薄切り）　1株分
ズッキーニ（5mm厚さの薄切り）　1 1/2本
フヌイユの若葉（粗みじん切り）　大さじ2
ディルの葉（粗みじん切り）　大さじ1
レモン汁　大さじ2
エクストラバージンオリーブ油　大さじ3
塩　こしょう

作り方
1. ズッキーニはバットに並べ、塩少々をふりかけてしばらくおく。
2. フヌイユはボウルに入れてレモン汁を混ぜる。
3. ズッキーニがしんなりしたら、水けをふき取り2に加える。
4. フヌイユの若葉とディルを加えてエクストラバージンオリーブ油、塩小さじ1 1/2を入れて混ぜ、こしょう適宜をふる。

Filet De Porc Braisé Aux Petits Oignons Et Carottes

フィレ・ド・ポー・ブレゼ・オウ・プティオニオン・エ・キャロット

豚ヒレ肉のポットロースト

あっさりとした肉質に蒸し煮はふさわしい。
ひと鍋で完成を迎える前にカルヴァドスの香りを加えて。

豚ヒレ肉のポットロースト

材料（4人分）［27cm・オーバル］
豚ヒレ肉　1本（550g）
ベーコン（薄切り）　6枚
にんじん（シャトー切り）　½本
小玉ねぎ　15個
ソース
　玉ねぎ（薄切り）　½個
　にんじん（薄切り）　½本
　セロリ（薄切り）　½本
　にんにく（芽を取って薄切り）　1片
カルヴァドス　50mℓ
塩　こしょう　サラダ油

作り方
1. 豚肉は常温にもどし、塩小さじ1½、こしょう適宜をまぶす。
ベーコンを豚肉の表面にのせながら、たこ糸で縛る。
2. 鍋にサラダ油大さじ2を熱し、豚肉を入れて強火で焼き、全体に焼き色がついたら取り出す。
3. 同じ鍋にソース用の野菜を入れて強火で炒める。
にんじんと小玉ねぎを加えて炒め、しんなりしたら、その上に豚肉を置く。
ふたをして180℃に予熱したオーブンで約15分焼く。
4. 豚肉を取り出し、アルミホイルで包んで温かいところに置き、にんじんと小玉ねぎも取り出す。
5. 再び鍋を火にかけ、温まったらカルヴァドスを加えて、水をひたひたに注ぐ。
豚肉を包んだアルミホイルにたまった肉汁があれば加え、
アクを取りながら煮詰め、全体が半分の量くらいになったら野菜を取り出す。
6. 鍋ににんじんと小玉ねぎを戻し、塩、こしょうで味をととのえ、ふたをして3〜4分蒸し煮にする。
豚肉を加え、ソースをからめる。

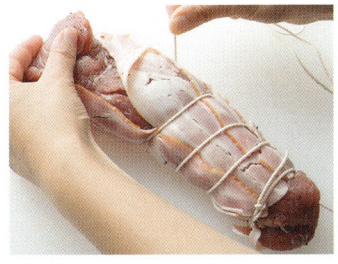

豚ヒレ肉は、先の細くなっているほうを折り曲げてなるべく均一な太さにしながら縛る。焼くと全体が縮むので、糸をきつく巻きつけるようにする。

炒めた肉のうまみを移すため、へらで野菜を鍋にこすりつけるようにして炒める。

Compote
コンポート

彩り豊かな果物たちをまるごと鍋へ。
静かに、やさしく煮上げていく。
火を止めて、鍋が冷めていく時間が手を貸してくれる。

いちじくのコンポート

いちじくのコンポート

いちじくには赤ワインがよく似合う。当然、チーズも進む一品。

材料(作りやすい分量)[22cm・ラウンド]
いちじく 10個 ／ 赤ワイン 500㎖ ／ グラニュー糖 100g

作り方
1. 鍋に赤ワインとグラニュー糖を入れて強火にかけ、アルコール分をとばす。
2. 水500㎖を加えて煮立ったら火を弱め、いちじくを加える。
3. オーブン用ペーパーで落としぶたをし、10分ほど煮て火を止め、そのまま冷ます。

オレンジのスパイシーコンポート

ヴァン・ショー(ホットワイン)と合わせれば、たちまちスパイスの香りが立ち上る。

材料(作りやすい分量)[24cm・オーバル]
バレンシアオレンジ(らせん状に皮をむき、実と分ける) 6個
しょうがの皮 ½かけ分 ／ レモン(厚めの輪切り) 2枚
シナモン(半分に割る) 2本 ／ 八角 2個
クローブ 5粒 ／ グラニュー糖 200g

作り方
1. 鍋にオレンジの実以外の材料と水1ℓを入れて強火にかける。
2. 煮立ったら火を弱めてオレンジの実を加える。
3. オーブン用ペーパーで落としぶたをし、10分ほど煮て火を止め、そのまま冷ます。

レモンのコンポート

シロップ煮だけがコンポートにあらず。塩漬けよりフルーティ、鶏や魚料理のアクセントに。

材料(作りやすい分量)[22cm・ラウンド]
国産レモン(皮に縦8カ所の切り目を入れる) 8個 ／ ローリエ 10枚
粒こしょう(黒)(たたいたもの) 大さじ1 ／ 塩 100g

作り方
1. 鍋にレモン以外の材料と水1ℓを入れて強火にかける。
2. 煮立ったら火を弱めてレモンを加える。
3. オーブン用ペーパーで落としぶたをし、10分ほど煮て火を止め、そのまま冷ます。

赤いフルーツのコンポート

赤いフルーツが手に入ったら、まずそのまま食べてみる。香りと甘みを確かめて、煮始める。

材料(作りやすい分量)[20cm・ラウンド]
いちご 700g ／ ブルーベリー 200g
ラズベリー 100g ／ グラニュー糖 180g

作り方
1. 鍋にいちご、ブルーベリー、ラズベリーを入れて
グラニュー糖をふり、しばらくおく。
2. グラニュー糖が溶けてベリーの水けが出たら水150㎖を加えて強火にかける。
3. 煮立ったらアクを取り、火を弱めて10分ほど煮て火を止め、そのまま冷ます。

洋梨のコンポート

素直に煮ると、楽しみ方を想像するチャンスが増える。今日はチョコレートソースをかけてみよう。

材料（作りやすい分量）［22cm・ラウンド］
洋梨 4個／レモン汁 1個分／グラニュー糖 200g

作り方
1. 洋梨は皮をむき、レモン汁を回しかける。
2. 鍋にグラニュー糖と水1ℓを入れて強火にかける。
3. 煮立ったら火を弱めて1を入れる。
4. オーブン用ペーパーで落としぶたをし、10分ほど煮て火を止め、そのまま冷ます。

チーズのはなし

村の数ほど種類があるチーズ。
チーズとワインとパンがあれば、これだけでも上等なフランス料理。
室温にもどしてから味わう。

A. ミモレット
Mimolette

製法はオランダのエダムと同じ。6週間〜6カ月、12カ月と熟成を重ね、風味が変化する。料理を選ばず、卵料理との相性もいい。削ってふりかける。

B. モン・ドール
Mont d'or

フランスとスイスの国境ジュラ山脈にある「モン・ドール」（黄金の山）。その山間で作られ、冬場中心に楽しむ。木箱の中で熟成を重ね、クリーミーでデリケートな味。すくってパンに、ゆでたじゃがいもといっしょに。

C. ブリ・ド・モー
Brie de Meaux

大きな円盤状の生乳のチーズ。バランスがよくエレガント、角がなくまろやかな味わい。サンドイッチにはさんで、そのままフルーツとともに。

D. ロックフォール
Roquefort

フランスを代表する羊の生乳から生まれる青カビチーズ。塩味が強いが独特の香りと甘みがのる。甘口の赤ワインとともに、サラダに加えてもいい。ジビエ料理のあとにはこのチーズがよく似合う。

E. シェーブル
Chèvre

ヤギ乳を原料とした、乾いたコクをもつチーズ。木炭粉を塗ったものとそうでないものがあり、塩味、酸味、ナッティーな香りを持つ。赤ワインで煮たいちじく、芳醇な白ワインに。

F. フロマージュ・フレ
Fromage frais

熟成をしていない乳酸発酵した生乳を凝固させたもの。コクのあるヨーグルトのような味わい。塩、こしょうをしてハーブを刻んでディップに、コンポートやはちみつに添えるのもいい。

Légumes
レギューム
野菜の煮込み

野菜が本来持つ甘みやほろ苦さ、みずみずしい香りを
そのまま味わえる、小さな煮込み。
お皿に彩りを添えたいとき、味のアクセントが欲しいとき、
頼りになる存在達。

1. にんじんのピューレ

香り高いピューレを作るには、皮ごと使うこと。

材料（作りやすい分量）［20cm・ラウンド］
にんじん（皮ごと3cm厚さの輪切り） 2本
クミンシード　小さじ1
塩

作り方
1. 鍋ににんじんを並べ、塩ひとつまみをふる。水100mlを注ぎ、ふたをしてごく弱火にかけ、蒸し煮にする。水が足りないようなら適宜少しずつ足し、串を刺してスッと通ったら火から下ろす。
2. マルチブレンダーでピューレ状にし、クミンシードをふり、塩で味をととのえる。

2. じゃがいものピューレ

フランス料理の定番。
バターや生クリームを加えればリッチな味わいに。

材料（作りやすい分量）［20cm・ラウンド］
じゃがいも（薄切り） 6個
にんにく（芽を取って薄切り） 1片
牛乳　500ml　塩

作り方
1. じゃがいもは水にさらして水をきる。
2. 鍋にじゃがいもを入れてにんにくと牛乳を注ぎ、塩小さじ1を加えて火にかける。じゃがいもが充分やわらかくなったら、マルチブレンダーでピューレ状にし、塩で味をととのえる。

3. 玉ねぎのピューレ

このときばかりはとにかく根気よく炒めること。
独特の甘みとコクが生まれる。

材料（作りやすい分量）［20cm・ラウンド］
玉ねぎ（薄切り） 4個
にんにく（芽を取って薄切り） 1片
ルビーポルト酒またはマデラ酒　適宜
バター　塩

作り方
1. 鍋にバター15gを溶かし、玉ねぎとにんにくを入れて炒める。水けが出やすいように塩適宜をふり、よく混ぜ、ふたをして弱火にかけ、時々かき混ぜながらしんなりするまで蒸し煮にする。
2. ふたを取り、水けをとばすように弱火で炒め、あめ色になったら、ポルト酒を注ぎアルコールの香りがとぶまでさらに炒める。

4. 紫キャベツの蒸し煮

目指すのは、アルザスの保存食、シュークルートの味。
穏やかな酸味と香りのイメージで。

材料（作りやすい分量）［22cm・ラウンド］
紫キャベツ（1cm幅に薄切り） 1個
キャラウェイシード　大さじ2
シャンパンビネガー　200ml　塩

作り方
1. ボウルにキャベツを入れて塩大さじ1をふり、ボウルをふって塩をまんべんなく行き渡らせる。
2. 鍋にキャベツを入れてキャラウェイシードを加え、シャンパンビネガーを注ぎふたをして火にかけ、煮立ったら弱火にし、時々かき混ぜながらキャベツがしんなりするまで煮る。

5. ポアローの蒸し煮

フレンチドレッシングをかけるだけで、立派な前菜に。

材料（作りやすい分量）［20cm・ラウンド］
ポアロー（リーキ） 2本
（長さ15cmくらいのもの）
ジュニパーベリー　7〜8粒
白ワイン　200ml　塩

作り方
1. ポアローは鍋の径に合わせた長さに切りたこ糸で縛る。
2. 鍋にポアロー、ワイン、水500ml、塩小さじ1、ジュニパーベリーを入れて火にかけ、落としぶたをして煮立ったら弱火にし、串を刺してスッと通ったら火から下ろしてそのまま冷ます。

6. アンディーブの煮込み

くったりと煮たときのほのかな苦みと甘み。
小さな姿がしっかり主張している。

材料（作りやすい分量）［22cm・ラウンド］
アンディーブ（チコリ）（縦半分に切る） 4個
レモン汁 ½個分
ナツメグ 適宜
バター　塩　こしょう

作り方
1. 鍋にアンディーブを入れ、レモン汁、水500mlを注ぎ火にかける。
2. バター15g、塩小さじ1、こしょう適宜を入れ、落としぶたをして、煮立ったら弱火にし、アンディーブがやわらかくなるまで約10分煮る。ナツメグをふる。

7. 小玉ねぎとレーズンの煮込み

色づいた小玉ねぎとレーズンが、
お皿にホッとした間をつくる。

材料（作りやすい分量）［20cm・ラウンド］
小玉ねぎ 20個
干しレーズン 30g
バルサミコ酢 大さじ2
バター　塩　こしょう

作り方
1. 鍋に小玉ねぎ、バター10g、水大さじ2を入れて塩小さじ½とこしょう適宜をふり、ふたをして火にかけ、パチパチと音がしてきたら弱火にして蒸し煮にする。
2. 八割方火が通ったら、レーズンとバルサミコ酢を入れて再び蒸し煮にする。

8. ピペラドソース

フランス南西部バスク地方の定番。
ソースとして、または卵と合わせて。

材料（作りやすい分量）［20cm・ラウンド］
生ハム（ベーコンでもよい） 50g
パプリカ（赤） 3個
玉ねぎ（みじん切り） ½個
にんにく（芽を取ってみじん切り） 1片
トマトペースト 小さじ4
エスプレット※ 小さじ½
パプリカパウダー 小さじ4
オリーブ油　塩

作り方
1. 鍋にオリーブ油適宜を熱し、玉ねぎ、にんにくを入れてしんなりするまで炒める。
2. 残りの材料、塩小さじ½を加えて混ぜ、ふたをして弱火にし、パプリカがくたっとするまで約15分煮る。

※バスク地方エスプレット村でできる赤とうがらし。穏やかな辛みとこしょうのような香りを持つ。

9. きのこのデュクセル

きのこは香り。汚れはていねいにふき取り、洗わずに使う。

材料（作りやすい分量）［20cm・ラウンド］
マッシュルーム（石づきを取ってみじん切り） 200g
しめじ（石づきを取ってみじん切り） 300g
生しいたけ（石づきを取ってみじん切り） 8枚（180g）
にんにく（芽を取ってみじん切り） 小1片
エシャロット（みじん切り） 小1個
バター　塩　こしょう

作り方
鍋にバター10gを溶かし、にんにくとエシャロットを入れ、香りが立ったらきのこ類を加え、しんなりするまで炒める。塩、こしょうで味をととのえる。

タジン・ダニョー・エ・プリュノー
Tajine D'agneau Et Pruneaux
仔羊とプルーンのタジン

もともと北アフリカ・マグリブ地方の料理であるタジンは、
いまやクスクスと並ぶ日常食のひとつ。
スムールはふんわり、パラッと仕上げること。

仔羊とプルーンのタジン

材料（2〜3人分）［20cm・タジン鍋］
仔羊肩ロース肉（一口大に切る） 700g
玉ねぎ（みじん切り） 1個／にんにく（みじん切り） 1片
ズッキーニ（厚めの輪切り） ½本／トマト（角切り） ½個
レモンのコンポート〈P.34参照〉（輪切り） 1個／にんじんのピューレ〈P.38参照〉 適宜
プルーン 10個（125g）／松の実 30g／スムール（クスクス用セモリナ粉） 1½カップ
カルダモンパウダー 小さじ½／ジンジャーパウダー 小さじ½
エクストラバージンオリーブ油／塩／こしょう
アリッサ
　にんにく（みじん切り） ½片／クミンシード（みじん切り） 大さじ1
　コリアンダーパウダー 大さじ½／パプリカパウダー 大さじ2
　カイエンヌペッパー 大さじ½／オリーブ油 大さじ6／塩 小さじ1

作り方
1. アリッサを作る。ボウルに材料を入れてよく混ぜ合わせる。
2. 別のボウルに仔羊肉を入れ、カルダモンパウダー、ジンジャーパウダー、
塩大さじ2、こしょう適宜、アリッサ小さじ1を加えてよくからめる。
3. 鍋にスムールを入れ、同量の熱湯を注ぎ、エクストラバージンオリーブ油少々を加えて
ひと混ぜし、ふたをして約10分蒸らす。ふたを取って火にかけ、軽く炒める。
フライパンを熱し、松の実をからいりする。
4. タジン鍋に玉ねぎのみじん切りを入れ、肉の半量をのせる。その上に、にんにく、ズッキーニ、
プルーン、レモンのコンポート、残りの肉を重ね、一番上にトマトをのせてふたをする。
5. タジン鍋を強火にかけ、煮立ったら火を弱めて約40分煮る。
6. 時々ふたをあけて焦げついていないか確認し、肉がやわらかくなるまで煮て、松の実を入れる。
器に盛り、スムール、にんじんのピューレ、アリッサを添える。

スムールは余分な水分をとばし、パラパラとした状態になるまで炒める。

材料は中央を高くして鍋に入れ、ふたをする。レモンのコンポートは香りが行き渡るように、均等に肉の間にはさむ。

コンフィ・ド・キャナール
Confit De Canard
鴨もも肉のコンフィ

コンフィとは、油や酢、砂糖に漬けた調理法。
素材の風味を熟成させ、空気に触れさせずに長く保存する。
昔ながらの知恵が静かに息づく、守り伝えるべき料理。

鴨のリエット

鴨もも肉のコンフィ

材料(4人分)[24cm・ラウンド]
鴨もも肉　4本
にんにく(芽を取って薄切り)　1片
タイム　4本
鴨(ガチョウ)の脂　1020ml
塩　こしょう

作り方
1. 鴨肉は全体に塩大さじ2をすり込み、こしょう適宜をまぶしてにんにく、タイムとともに一晩おく。
2. 肉から出た水けをふき取り、にんにく、タイムを取り除く。鍋に鴨の脂を入れて90〜100℃に熱し、肉を入れる。温度が上がりすぎないように調整しながら90分ほど煮る。
3. フライパンを熱し、強火で皮目がカリッとなるまで焼く。

Confit De Canard

塩は肉の両面にまんべんなく、とくに皮目にはしっかりとすり込む。

ふつふつと気泡が上がる状態(100℃程度)を保つ。肉の間から骨が見えるようになればやわらかく煮上がっている。

じゃがいものソテーといんげんのサラダ

材料(4人分)
じゃがいも(縦半分に切る)　6個
にんにく(芽を取って薄切り)　1片
さやいんげん　280g
イタリアンパセリ(みじん切り)　大さじ2
レモン汁　大さじ1
鴨の煮油　適宜
エクストラバージンオリーブ油　大さじ3
塩　こしょう

作り方
1. じゃがいもはかためにゆでる。鍋に鴨の煮油とじゃがいも、にんにくを入れて炒める。塩、こしょうで味をととのえる。
2. さやいんげんはかためにゆでて、イタリアンパセリ、レモン汁、エクストラバージンオリーブ油であえ、塩、こしょう適宜で調味する。

コンフィで作る
鴨のリエット

材料（作りやすい分量）
鴨もも肉のコンフィ　2本
鴨の煮油　大さじ4
バゲット（好みの厚さにスライスしたもの）　5枚
粗びき黒こしょう

作り方
1. 鴨肉は骨を取り除いてほぐす。
2. 1をフードプロセッサーに入れ、鴨の煮油を少しずつ加えながら回し、へらでひとまとまりにできるくらいにする。
3. 2をボウルに入れて粗びきこしょう小さじ1を加え、さっと混ぜて器に入れる。
4. 表面に室温の鴨の煮油（分量外）を注ぎ入れ、冷蔵庫で冷やし固める。
5. 室温にもどし、表面の脂を取り除いてバゲットに塗る。

ほどよく食感が残り、へらでひとまとまりにできる程度がよい。

鴨の煮油の保存法

コンフィを作った後の油は肉片、アクをすくい取り、強火にかける。
パチパチと肉汁が跳ねる音がしなくなったら火を止めて粗熱をとり、
ボウルにストレーナー、ペーパータオルを重ねてこす。
清潔な保存瓶に入れて冷凍庫で保存する。
シンプルなじゃがいものソテーやサラダのドレッシングなどにも使う。
いつもの料理に豊かな香りを添えられる。
もちろん、再び鴨をコンフィにしよう。

Soupe De Poissons
スープ・ド・ポアソン

スープ・ド・ポアソン

見かけは具のない、とてもシンプルなスープ。
ところが、ひと口味わうと海のエキスが凝縮した、
奥行きのある一皿なのだと気づかされる。

スープ・ド・ポアソン

材料（6人分）［24cm・ラウンド］
フュメ・ド・ポアソン〈P.20参照〉　500㎖
有頭えび　5尾／あさり　大10個／ポアロー（薄切り）　80g
玉ねぎ（薄切り）　½個（100g）／にんじん（薄切り）　⅓本（80g）
セロリ（薄切り）　⅓本（20g）／にんにく（芽を取ってたたきつぶす）　½片
白ワイン　200㎖／トマトペースト　大さじ5
バゲット　適宜／グリュイエールチーズ　適宜
オリーブ油／塩／こしょう
ルイユ
　にんにく（すりおろし）　少々／卵黄　2個分
　バター（食塩不使用）　200g／フレンチマスタード　小さじ1
　白ワインビネガー　小さじ1／カイエンヌペッパー　少々／塩

作り方
1. ルイユを作る。バターは鍋に入れて弱火にかけ、澄ましバターにする。
ボウルに卵黄、にんにく、フレンチマスタード、ワインビネガーを入れて
泡立て器で混ぜながら澄ましバターを少しずつ加える。
もったりとしてきたら塩小さじ1とカイエンヌペッパーを入れて混ぜる。
2. あさりは塩水につけて砂出しする。えびは頭をはずし、殻と身を分ける。
3. 鍋を熱してオリーブ油少々を入れ、えびの頭と殻を強火で炒める。
一度取り出し、オリーブ油少々と野菜をすべて入れて炒める。
あさりを加えてワインを注ぎ、アルコール分をとばす。
4. えびの頭と殻、身、トマトペーストを加え、フュメ・ド・ポアソンを注ぎ、強火で煮る。
5. 煮立ったらアクを取り、火を弱めて10分ほど煮る。塩、こしょうで味をととのえる。
6. 火から下ろし、あさりの殻とえびの頭を取り除く。
粗熱がとれたらミキサーに入れ、全体がなめらかになるまで回す。
こして鍋に戻し、火にかけて温め、塩、こしょうで味をととのえる。
7. 器に注ぎ、薄く切り温めたバゲットを浮かべてグリュイエールチーズをかけ、ルイユを添える。

えびは、こんがりと香ばしく色づくまで炒める。

Cassoulet
カスレ

塩豚のカスレ

南西フランス、ラングドック地方の郷土料理。
グラ（脂）が効いた本来のカスレもいいけれど、
たっぷり楽しみたいから、脂をほどよく落として、食べやすく。

塩豚のカスレ

材料（6人分）［24cm・ラウンド］
豚肩ロース肉　600g
豚スペアリブ　500g
ベーコン（5mm幅に切る）　200g
ウインナソーセージ　6本
白いんげん豆（乾燥）　2カップ
玉ねぎ（みじん切り）　大1個
にんにく（芽を取って薄切り）　2片
トマトピューレ　300g
ローリエ、クローブ　適宜
鴨（ガチョウ）の脂（ラードでもよい）　少々
塩　こしょう

作り方
1. 豚肉は水けをふき取り、重量の1.5%の塩をすり込んでペーパータオルに包み一晩以上おく。
2. 鍋に肉を入れ、水をかぶる程度に注ぎ強火にかける。
煮立ったらアクを取り、弱火にしてふたをし、静かに煮る。
肉に火が通ったら、火を止めて煮汁に漬けたまま冷ます。
3. 豆は洗って鍋に入れ、たっぷりの水でもどす。水を取り替え、弱火でやわらかくなるまで煮る。
4. 別の鍋に鴨の脂を熱し、ベーコン、ソーセージを別々に焼いて取り出す。
同じ鍋で厚めに切った2を両面焼いて取り出す。脂を取り替え、玉ねぎとにんにくを加えて炒め、
ベーコン、豚肉、トマトピューレ、ローリエ、クローブを入れて煮る。
約40分煮たらソーセージと水けをきった豆を加え、さらに約20分煮る。
5. 200℃に予熱したオーブンに鍋ごと入れ、約20分焼く。

水けをしっかりふき取るため、ペーパータオルは数回取り替える。

水けが足りないときは、豚肉の煮汁を足して煮る。

マークロ・フュメ・エ・アペリティフ・ヴァリエ
Maquereau Fumé
Et Apéritifs Variés
さばのスモークとアペリティフいろいろ

家でスモークができたらなんだか嬉しい。
ふだんのアペリティフがぐんと特別なものになる。
辛口のシャンパーニュや白ワインとともに。

さばのスモークとアペリティフいろいろ

材料（2〜3人分）［27cm・オーバル］
さば（三枚おろし）　半身分
ディル　2本
中ざらめ糖　30g
スモークチップ（くるみなど）　20g
塩

作り方
1. さばは小骨を抜きペーパータオルで水けをふき取り、塩小さじ1½を両面にまぶしてペーパータオルを敷いた容器に入れ冷蔵庫で一晩おく。
2. 1から出た水けをふき取ってざるにのせ、風通しのよいところで2〜3時間乾燥させて、さばより少し大きめに切ったオーブン用ペーパーに皮を上にして置く。
3. 鍋にオーブン用ペーパーを敷き、スモークチップとざらめを散らし、ふたをして火にかける。煙が出たら弱火にし、手早くペーパーごとさばとディルを入れる。
4. 約30分加熱して、皮があめ色になったら火を止め、ざるにのせて冷ます。食べやすい大きさに切って、器に盛り、好みで温めたバゲットを添える。

ペーパータオルは数回取り替えて、水けを充分にふき取る。

甘すぎず、香ばしい香りが含まれたくるみのスモークチップは肉や魚のスモークに最適。

Maquereau Fumé Et Apéritifs Variés

ふかしじゃがいもとモンドールチーズ

材料（作りやすい分量）
じゃがいも（男爵）　2個
モンドールチーズ　大さじ4
塩　粗びき黒こしょう

作り方
1. じゃがいもは皮つきのまま鍋に入れ、
水100mlと塩少々を入れてふたをし、火にかける。
煮立ったら弱火にして約15分蒸し煮にする。
2. じゃがいもをフォークでさくように切り、モンドールチーズをのせて
こしょう適宜をかける。

アンディーブとハムのグラタン

材料（作りやすい分量）
アンディーブの煮込み（縦半分に切る）〈P.39参照〉　8個
ハム　8枚
ソース・ベシャメル〈P.21参照〉　適宜
アンディーブの煮込みの煮汁　適宜
グリュイエールチーズ　適宜
塩　こしょう

作り方
1. アンディーブは水けをきってハムで巻き、耐熱容器に並べる。
2. 鍋にソース・ベシャメルを入れ、煮汁を加えて塩、こしょうで味をととのえる。
3. 1に2を流し入れ、グリュイエールチーズを散らす。
200℃に予熱したオーブンで表面にこんがりと焼き色がつくまで15分ほど焼く。
※バゲットにのせた紫キャベツの蒸し煮、きのこのデュクセルはP.38〜39を参照。

A
B
C
D
E
F
G

お酒のはなし

ワインなくしては語れないのがフランス料理。
でも、ワイン以外のお酒も、シチュエーションや気分に合わせて飲み分ける。
そして、料理にもどんどん使う。

ワイン

A. シャンパーニュ　Champagne
フランス、シャンパーニュ地方の発泡性ワイン。その味はエレガントでいて気高く、
魅惑的でデリケート。お祝いの席には欠かせないもの。

B. 白ワイン　Vins blanc　ヴァン・ブラン
一般的に白ぶどうのみで造られているワイン。フルーティでフレッシュ、キリッとした味わい。
そんなイメージで料理を選んでみると魚料理以外も浮かんでくる。

C. 赤ワイン　Vins rouge　ヴァン・ルージュ
黒ぶどうを皮と種ごとつぶして造られる。毎年11月解禁のボジョレー・ヌーボーのような
若いものから年代ものまで。品種やボディを知ると、料理との相性が見えてくる。

D. ポルト　Port
ポルトガルの酒精強化ワイン。発酵の途中でブランデーを添加されている。
甘く、コクがあり、デザートや葉巻と楽しむことも。鴨料理やパテの風味づけに。

リキュール

E. シャルトルーズ　ジョンヌ　Chartreuse jaune
1606年からアルプスのシャルトルーズ修道会で造られる薬草・ハーブ系リキュール。
ハーブの香りをまとい繊細ではちみつのような香り。カクテルやデザート、白身魚料理に。

オード・ヴィ・ド・フリュイ（果実の蒸留酒）

F. カルヴァドス　Calvados
シードル（りんごの果実を搾り、自然に発酵させたもの）のオード・ヴィ。
りんごのお菓子に加えることはもちろんのこと、豚肉料理に入れてもおいしい。

G. キルシュ　Kirsch
さくらんぼを発酵させて蒸留したブランデーの一種。
お菓子の香りづけや、ベリーを煮たものに合う。

キャレ・ダニョー・ロティ・オ○○
Carré D'agneau Rôti Aux Herbes
骨付き仔羊のハーブパン粉焼き

フランス料理で最も格式のある食材のひとつである仔羊は、
ロゼ色に焼き上げる。
その脂にある独特の香りと品格のとりことなる。

骨付き仔羊のハーブパン粉焼き

材料（4人分）［24cm・ラウンド］
骨付き仔羊　1ブロック（骨8本分）
エシャロット（皮ごと上部を切り落とす）　8個
にんにく（皮ごと上部を切り落とす）　2株
ハーブパン粉
　パン粉　½カップ
　エルブ・ド・プロバンス　大さじ1
　にんにく（みじん切り）　½片
　塩　小さじ⅓
ピペラドソース〈P.39参照〉　適宜
塩　こしょう　サラダ油

作り方
1. ハーブパン粉の材料は混ぜ合わせる。
2. 骨付き仔羊は余分な脂身を取り除き、塩小さじ2とこしょう適宜をまぶして脂面にハーブパン粉をたっぷりつける。
3. 鍋にサラダ油適宜、エシャロットとにんにくを入れ、
200℃に予熱したオーブンで約10分焼く。
4. 鍋をオーブンから取り出し、肉を入れてさらに約15分焼く。
5. 鍋ごと15分ほどやすませてから骨2本ずつに切り分け、にんにく、
エシャロットとともに器に盛り、ピペラドソースを添える。

脂身が気になるようなら包丁で掃除するが、取りすぎると肉がぱさつき、香りが足りなくなるので注意する。

余ったハーブパン粉は冷凍しておくと、野菜や魚にのせてオーブン焼きにするなど、ほかの料理にも使えて便利。

Crème Pâtissière

クレーム・パティシエール

お菓子の世界の代表的クレーム。
そのままフルーツと、ときにはチョコレートや洋酒を加える。
バリエーションは無限に広がる。

クレーム・パティシエール

材料（作りやすい分量）［18cm・ラウンド］
牛乳　500ml
グラニュー糖　150g
バニラビーンズ　1本
卵黄　6個分
薄力粉　50g

ダマになっても慌てずに。混ぜ続けると水っぽさがなくなり、粉に火が通るとつやが出てくる。

作り方
1. 鍋に牛乳とグラニュー糖の約半量、縦半分に裂いて中をこそげ出したバニラビーンズを
さやごと入れて火にかけ、鍋のふちからふつふつと細かい泡が立ったら火を止める。
2. ボウルに卵黄と残りのグラニュー糖を入れて泡立て器でよくすり混ぜる。
ふるっておいた薄力粉を加えて混ぜ、1を注ぎ入れてよく混ぜる。
3. 2をストレーナーでこしながら鍋に入れて火にかけ、絶えずへらで混ぜる。
ダマが出きてもそのまま混ぜ続け、全体につやが出て煮立ったら火を止める。
4. すぐにバットに移し、熱いうちに表面にラップを密着させて冷蔵庫で急冷する。

クレーム・パティシエールで作る

グラン・マルニエのスフレ

材料（直径10cmのスフレ用耐熱容器3個分）
クレーム・パティシエール　350g
卵白　3個分
グラニュー糖　20g
パウダーシュガー　適宜
グラン・マルニエ（オレンジリキュール）　小さじ2

グラン・マルニエは、ビターオレンジと
コニャックをブレンドしたリキュール。
上品な香りが特徴。

作り方
1. オーブンを200℃に予熱する。湯せん用の湯を沸かす。
耐熱容器の内側にやわらかくしたバター（分量外）を薄く塗り、グラニュー糖（分量外）をまぶす。
2. ボウルにクレーム・パティシエールとグラン・マルニエを入れて泡立て器で混ぜる。
3. 卵白は別のボウルに入れてハンドミキサーで攪拌し、グラニュー糖の1/3を加えて
高速で攪拌する。全体に白くなったら少しずつ残りのグラニュー糖を加えて攪拌を続け、
白くつややかで、かたいメレンゲができたら、2に2回に分けて入れ、泡をつぶさないように混ぜる。
4. 3を耐熱容器に流し入れ、バットの高さの半分くらいまで湯を張ったバットに並べ、
オーブンで15分ほど焼く。
5. 上からパウダーシュガーをふる。

Tarte Tatin
タルト・タタン

タルト作りの失敗から生まれたことで有名なフランスの伝統的菓子。
新鮮でおいしいりんご選びが鍵となる。
アイスクリームやブランデー入りの生クリームを添えて。

タルト・タタン

材料（直径22cm1個分）［22cm・ラウンド］
りんご（紅玉）（8等分のくし形切り）　7個
グラニュー糖　150g
バター（食塩不使用）　30g
水　大さじ2
パイ生地
　薄力粉　50g／強力粉　50g
　バター（食塩不使用）（2〜3cmの角切り）　60g／冷水　50ml

作り方
1. 鍋にグラニュー糖と水を入れて火にかけ、時々鍋を回し、
濃いあめ色になったらバターを加える。
バターが溶けたらりんごを加え、よくかき混ぜながら煮る。
2. 全体がキャラメル色になったら表面を平らにならし、
180℃に予熱したオーブンに鍋ごと入れて約1時間焼く。
時々オーブンを開け、りんごが焦げすぎていないか確認する。
3. パイ生地を作る。ふるった粉類とバターは冷蔵庫で冷やす。
ボウルにバターと粉類を入れてカードで切り混ぜ、バターが米粒大になったら
冷水を少しずつ加えて混ぜる。
4. 生地がひとまとまりになったら、カードで半分に切り、片方の生地をもう片方に重ねて
上からやさしく押しつける。これを切る角度を変えて4回繰り返す。
ラップに平らにのばし、冷蔵庫で1時間ほどやすませる。
5. 打ち粉（分量外）をしためん棒で、生地を鍋のふたより少し大きめにのばし、
余分な部分を切り取る。フォークで表面に穴をあけ、180℃に予熱したオーブンで約15分焼く。
生地がやわらかいうちに時々オーブンを開けて、ふくらみすぎないようにミトンで軽く押さえる。
6. 生地が冷めたら2の鍋の上にかぶせて器をのせ、ひっくり返す。

生地は粉っぽさが残るくらいに混ぜる。冷水は気温やバターの温度により適量が異なるので、様子を見ながら加える。

生地を半分に切り、折りたたむように重ねる。ボウルを回して、角度を90度ずつ動かしながらやるとよい。

鍋が冷めていたら、少し弱火にかけてからひっくり返すと表面の仕上がりが美しい。

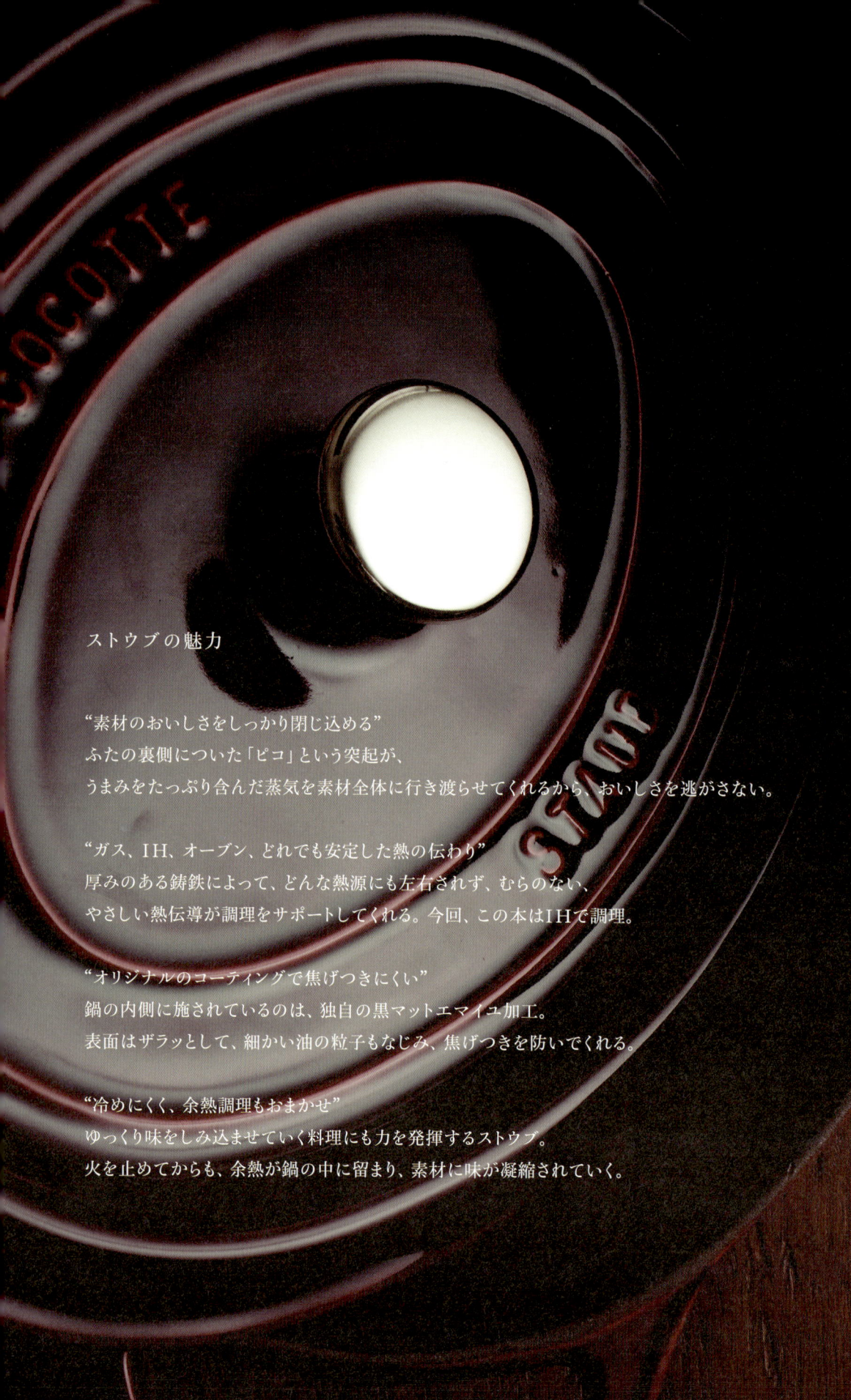

ストウブの魅力

"素材のおいしさをしっかり閉じ込める"
ふたの裏側についた「ピコ」という突起が、
うまみをたっぷり含んだ蒸気を素材全体に行き渡らせてくれるから、おいしさを逃がさない。

"ガス、IH、オーブン、どれでも安定した熱の伝わり"
厚みのある鋳鉄によって、どんな熱源にも左右されず、むらのない、
やさしい熱伝導が調理をサポートしてくれる。今回、この本はIHで調理。

"オリジナルのコーティングで焦げつきにくい"
鍋の内側に施されているのは、独自の黒マットエマイユ加工。
表面はザラッとして、細かい油の粒子もなじみ、焦げつきを防いでくれる。

"冷めにくく、余熱調理もおまかせ"
ゆっくり味をしみ込ませていく料理にも力を発揮するストウブ。
火を止めてからも、余熱が鍋の中に留まり、素材に味が凝縮されていく。

Epilogue

あとがき

私は日々、素材と向き合う。

それを前にどう立ち振る舞い、どのように食べ手に届けよう。

しっとりとした肉の甘みと余韻、みずみずしい野菜の食感、

魚のふっくらとした弾力と香り。

ふたを開けたとき、立ちのぼる湯気をかぎ、

今日の食べ手の笑みを思い浮かべる。

私がストウブに初めて出合ったのは

パリ、「オテル・ド・クリヨン」の厨房、総料理長室において。

その日はリヨンにある三ツ星レストランのシェフ、ポール・ボキューズ氏が

料理長を訪問されていた。

それはよくあることだったが、部屋の一角にあったひとつの鍋が私の心に留まった。

あとで思えばそれが、ストウブの鍋。

フランス、アルザス地方のストウブ社とボキューズ氏が作り上げた鍋だった。

あれから、そして今日も私はこのストウブの鍋で料理を作る。

テーブルでこの鍋を囲む。

鍋の底をすくう。

そんな繰り返しに意味があると信じて。

サルボ恭子

料理家の叔母に師事した後に渡仏。パリ有数のホテル「オテル・ド・クリヨン」での研修、勤務の日々を送りながら、郷土料理の素朴ながらも洗練された味に魅了され、帰国後独立。現在は自宅で料理教室を主宰し、「素材と向き合い、その持ち味を引き出す料理」を伝え続ける。また、どんな料理も、最もおいしく味わえる「瞬間」を届けたいという思いから、出張料理やケータリングも手がけている。

http://www.kyokosalbot.com

構成・スタイリング　中山千寿（CHIZU）
撮影　三木麻奈
デザイン　伊丹友広（IT IS DESIGN）
企画　大森まゆみ（スタジオノッツ）
料理アシスタント　能重伊與子

Tous nos remerciements vous à Monsieur Takeshi OMORI,
à Mademoiselle Shoko KUBOTA et Serge SALBOT.
Un grand merci à Madame Harumi KUGA.

協賛　ストウブ／DSC
ストウブについてのお問い合わせは
お客様相談係　☎0120-75-7155
ホームページ　http://www.staub.jp

協力　ミーレ・ジャパン株式会社

「ストウブ」で作る
フレンチの基本
MENU BOOK

2009年1月20日　初版第一刷発行

著者　サルボ恭子
発行者　増田義和
発行所　実業之日本社
〒104-8233　東京都中央区銀座1-3-9
電話（編集）03-3535-5417
（販売）03-3535-4441
http://www.j-n.co.jp/
印刷所　大日本印刷
製本所　ブックアート

©kyoko salbot 2009　Printed in japan
ISBN978-4-408-42018-9

落丁・乱丁の場合は小社でお取り替えいたします。
実業之日本社のプライバシーポリシー（個人情報の取り扱い）は、上記サイトをご覧ください。